Au pays des
hommes du désert

Jesús Ballaz · Conchita Rodríguez

Bordas

Ifalan

DÉSERT

● **OASIS**

Il habite le Sahel, une région qui a une végétation très pauvre. Elle borde le plus grand désert du monde : le Sahara. C'est la région du soleil, du sable et de la solitude. La pluie ne vient presque jamais lui rendre visite.

L'Afrique est un immense continent divisé en plusieurs pays : le Maroc, la Libye, l'Algérie, le Mali et beaucoup d'autres encore.

Au Nord de ce très grand continent vit un peuple extraordinaire : les Touaregs.

Ifalan apprend à garder le troupeau de chamelles avec son grand-père El Hady.

D'autres bergers solitaires comme eux gardent des troupeaux de chèvres, de brebis ou de zébus.

L'orgueil d'être Touareg

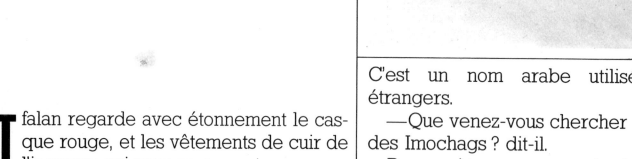

Ifalan regarde avec étonnement le casque rouge, et les vêtements de cuir de l'inconnu qui voyage en moto.

El Hady, son grand-père, porte un turban et une cape bleu indigo. Il regarde d'un air hautain le voyageur.

—Touareg, je me suis perdu et je cherche de l'eau, dit le motard.

Le grand-père fronce les sourcils. Cela ne lui plaît guère d'être appelé touareg.

C'est un nom arabe utilisé par les étrangers.

—Que venez-vous chercher sur la terre des Imochags ? dit-il.

Pourquoi traversez-vous le désert, à toute allure, comme un fou ? Essayez donc de suivre le soleil. Vous verrez bien si vous réussissez à l'attraper !

Ils lui donnent à boire. Ifalan, qui étudie le français à l'école, lui indique son chemin et la moto part, soulevant un immense nuage de poussière.

À la recherche de pâturages

Ifalan vit au nord du Niger. Son grand-père ne le sait peut-être pas, et ça lui est bien égal.

Sa famille est touareg de la tribu Kel-ui et ils viennent des montagnes Aïr. Ils appartiennent à la vieille race berbère, une race blanche. Pourtant Ifalan a la peau très sombre. Comme beaucoup de Touaregs, il a aussi des ancêtres soudanais de race noire. Chaque année, à la saison sèche, ils vont dans la vallée des fleuves Rima et Niger pour chercher des pâturages.

Dès qu'ils les trouvent, ils s'arrêtent. Chez les Touaregs, la terre appartient au premier qui la trouve. Alors, ils construisent leurs tentes.

Ils enfoncent des piquets dans le sol, et pour faire le toit, ils en clouent d'autres de travers. Puis, ils recouvrent les piquets de trente ou quarante peaux de chèvres et voilà leur maison. Leurs animaux broutent autour. À la tombée de la nuit, ils les rassemblent dans des enclos pour les protéger des hyènes et des chacals.

La famille d'Ifalan

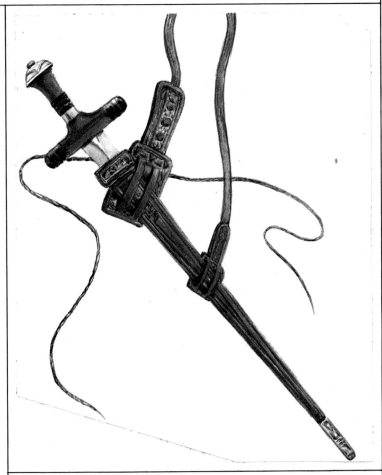

Dans le désert il fait très chaud le jour, mais la nuit peut être très froide. Ifalan vit avec sa mère et ses quatre frères dans une grande tente, ouverte à tous les vents, où ils ne peuvent pas se tenir debout. La famille touareg ne s'enferme pas entre quatre murs. Toutes les portes sont ouvertes. N'importe qui peut entrer et bavarder, partager le lait des chèvres ou le thé qu'ils boivent à toute heure.

Le père d'Ifalan est loin. Il a suivi une caravane qui transportait du sel. Ifalan regarde son fusil avec fierté. Son grand-père n'a guère qu'une épée très effilée : une tabouka dans un fourreau rouge. Sans ces armes, son père et son grand-père ne pourraient pas se défendre.

Ils dorment tous dans cette tente, sauf son frère. Il est déjà grand, et passe la nuit avec d'autres jeunes gens, sous les arbres.

La vie quotidienne

À l'aube, les tentes et les plantes sont recouvertes de rosée. Les gazelles la boivent et font ainsi leur provision d'eau pour toute la journée.

Les Touaregs se lèvent très tôt. Tout le monde commence à travailler. Les hommes traient les troupeaux de chamelles, de chèvres et de vaches...

Les mères préparent le lait ou la ration de mil de leurs enfants. Les jeunes libèrent les animaux pour qu'ils aillent paître. Le frère d'Ifalan va partir plusieurs jours avec un troupeau pour chercher de meilleurs pâturages. Il emporte seulement une petite outre d'eau, une écuelle pour recueillir et boire le lait de ses bêtes, une natte pour dormir et peut-être une épée.

Ifalan va chercher de l'eau au puits avec sa mère et son grand-père.

Le trésor du désert : le puits

Au Sahel, l'eau est notre bien le plus précieux ; l'eau et le lait de nos chamelles, lui dit son grand-père.

—Pourquoi ne campons-nous pas plus près de l'eau ? demande Ifalan.

—Parce que tout le monde voudrait en faire autant et ce serait une source de disputes. Une sage coutume veut que l'on campe assez loin de l'eau pour que personne ne puisse dire : « C'est à moi ». Tu sais, l'eau est le trésor de tous.

Quand ils arrivent, les troupeaux de brebis et de chèvres attendent leur tour pour boire.

Quelques femmes tirent de l'eau d'un puits très profond. Elles laissent tomber une outre de peau attachée à une longue corde. L'autre bout de la corde est attaché à un chameau. Quand l'outre est pleine, l'animal tire la corde qui mesure parfois jusqu'à soixante mètres.

Finalement, Ifalan et les siens remplissent leurs outres, les attachent sous le ventre des ânes avec des cordes. Ils retournent au camp avec leur provision d'eau.

La vengeance d'un Touareg

Sur le chemin du retour, son grand-père lui raconte :

—Je me souviens très bien de ce puits. Il y a longtemps, nous y étions en même temps qu'une caravane. C'était aussi des Imochags, mais leur peau était noire comme la nuit.

—Pouvons-nous dormir dans vos tentes ? Nous sommes poursuivis par des voleurs, me dit le chef de la caravane.

Le grand-père poursuit :

—Tu sais que pour nous, l'hospitalité est sacrée. Ils dormirent dans ma propre tente et burent le lait de mes chamelles.

Mais pendant que je buvais du thé avec eux, j'ai reconnu une cicatrice sur la main du chef de la caravane. C'était la main qui m'avait volé cinq chamelles il y a quelques années.

Je les ai laissés s'en aller à l'aube. Mais quand le soleil s'est levé sur les sommets des monts Aïr, nous les avons rattrapés, avec nos chameaux, sans qu'ils s'en aperçoivent. Nous les avons attendus à la sortie d'un défilé. Nous voulions leur prendre leur cargaison de sel et leurs chameaux. Ils se sont défendus. Ce jour-là, mon épée était du même rouge que le soleil du désert.

Ifalan va au marché

Ifalan est heureux. Son père est arrivé aujourd'hui. C'est un vrai Touareg : grand, mince, nerveux, avec des muscles d'acier.

Il est revenu avec une caravane, et rapporte des bracelets et des vêtements bleu indigo. Ce tissu déteint et la peau des Touaregs devient bleue aussi. C'est pour ça que l'on appelle les Touaregs les « hommes bleus du désert ».

Pour Ifalan, c'est un beau jour. Son père

lui a promis qu'ils iraient au marché, dans
une oasis voisine.

Le lendemain, Ifalan est le premier à
sortir de la tente et ses yeux noirs brillent
de joie. Avant que le soleil ne brûle trop
fort, la caravane des Touaregs s'éloigne
vers l'horizon de sable.

Ils approchent du marché où ils vont
vendre leur bétail et acheter des dattes,
du mil, du sucre, du thé et des vêtements...

Ils avancent rapidement sur la route.
Quand ces sables arides étaient une prai-
rie, cette route était le lit d'un fleuve. Au
loin apparaissent déjà l'oasis et ses pal-
miers agités par le vent.

Ce vert est rafraîchissant. Et quelques
jours de vie tranquille reposent ces hommes qui doivent sans cesse se déplacer.
Le temps qu'Ifalan va passer là sera comme une fête, même s'il doit aller à l'école.

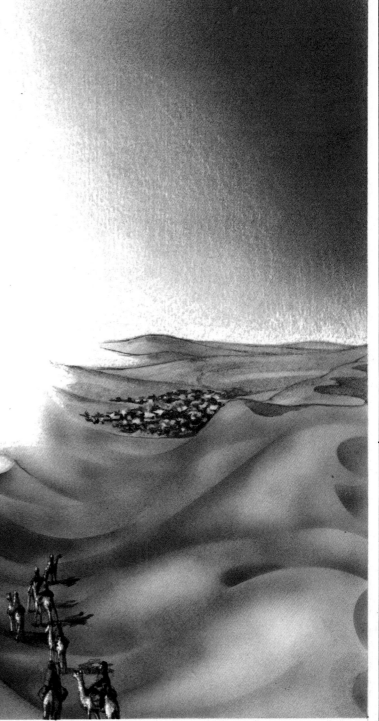

L'oasis, un repos

Dans l'oasis, l'eau est abondante, on peut en boire autant qu'on veut. « Quel délice ! Quel bonheur de se baigner ! » pense Ifalan.

Son grand-père a des jardins où il cultive du mil, et des courges...

Ce sont des jardins fermés, pour mieux profiter de l'eau. On les arrose par un système de portes ouvertes à des moments bien précis.

—C'est Dayak qui travaille la terre. En échange, nous lui laissons une partie de la récolte. Ses grands-parents étaient les esclaves de mes grands-parents.

Pour les vieux Touaregs, cultiver la terre est un travail méprisable. Dayak et sa famille vivent dans des maisons fraîches aux toits plats, avec de toutes petites fenêtres pour empêcher le soleil d'entrer.

ÉCOLE KENSINGTON
6905 BOUL. MARICOURT
ST. HUBERT, QUÉBEC J3Y 1T2

La fête du marché

Le marché est la vie de l'oasis. Les Touaregs viennent avec leurs troupeaux de chèvres pour les vendre. Il y a des caravanes de chameaux chargés de céréales ou de sel, des marchands qui vendent des vêtements et toutes sortes d'objets. Ils se retrouvent à l'oasis, achètent et vendent. Les Touaregs doivent tout acheter avant de retourner dans le désert.

Les jours de marché sont une vraie fête. On y échange les nouvelles. Les hommes d'une même tribu, qui ne se voient qu'aux grandes occasions, s'y retrouvent. Des conteurs disent de merveilleuses histoires. Des jeunes filles jouent de l'imzad et récitent de beaux poèmes.

Ifalan, en plus de sa langue, le tamasheq, apprend l'arabe, le français, les mathématiques, la géographie. El Hady, son grand-père, ne comprend pas pourquoi Ifalan apprend tout cela. Le marabout, prêtre de l'Islam qui est la religion d'Ifalan et de son peuple, lui apprend à réciter des paragraphes entiers du Coran.

De retour au campement

Après le marché à l'oasis, ils s'enfoncent de nouveau dans le Sahel.

—J'ai vu une gazelle, grand-père. Les chiens sont partis derrière elle, dit Ifalan. Il observe toujours ce qui l'entoure.

—Tu sais ce que ça veut dire, quand les

gazelles et les fennecs vont vers le Nord ?
Ça veut dire que les pluies viendront bientôt. Les troupeaux se mettront en marche
vers nos montagnes d'Aïr où les pâturages
et les eaux sont meilleurs.

D'instinct, les animaux en savent plus
que nous-mêmes.

Peu de jours après, la couleur du ciel a
changé. Il n'est déjà plus si clair.

— Regarde Ifalan, tu vois cette couleur
rougeâtre ? Elle annonce une tempête de
sable !

La tempête de sable

Tout le campement rassemble rapidement les animaux. Les bergers solitaires reviennent avec leurs troupeaux.

Cette nuit-là, ils ferment tous leurs tentes. La tempête de sable s'abat avec violence, en faisant un bruit de tambour.

—Derrière le sable, comme si elles le poursuivaient, arrivent les pluies.

Les pluies sont attendues avec plaisir dans le Sahel. El Hady ne s'est pas trompé. Les premières rafales arrivent sur les ailes du vent. Ils sont très contents d'entendre le tambourinement de la pluie sur leurs tentes.

—Quand il pleut, l'herbe jaunie reverdit et les troupeaux ont de nouveaux pâturages. Nous les suivrons à travers le désert comme nos ancêtres avant nous. Ceci est notre vie, Ifalan !

Derrière les animaux

Pourquoi suivons-nous toujours les animaux ? demande Ifalan.

Chaque Touareg sait que ses animaux sont sa vie. Nous vivons pour eux. Nous nous occupons d'eux ; nous nous nourrissons de leur lait.

La grande caravane se met en marche.

En tête, il y a des hommes à dos de chameaux : ce sont les guides. Ils s'orientent selon la direction des dunes et des traces du vent dans le sable. Ifalan voyage avec son père sur une chamelle blanche. Derrière vient la grande caravane : les femmes et les enfants sur des ânes, les zébus chargés des peaux des tentes et du matériel.

Ils ne sont pas partis à l'aube. Ils ne le font jamais. Ils attendent toujours que le soleil sèche les peaux humides de rosée.

En route vers les montagnes d'Aïr

Enfin, viennent les troupeaux de chamelles, de chèvres, de brebis... Les mamelles des chamelles sont protégées pour que leurs petits ne boivent pas tout le lait dont les enfants touaregs ont besoin.

Ils vont vers le Nord-Est jusqu'aux montagnes d'Aïr. Ces montagnes sont le berceau des Kel-ui. Pendant la saison des pluies, de nombreux campements de cette tribu y vont aussi. Leurs troupeaux y trouveront les sels nécessaires à leur alimentation.

La nuit, on entend hurler les chacals. Ifalan sursaute à chaque fois.

Kel Esuf, les mauvais génies

chameau, qui rumine comme s'il mâchait du chewing-gum, il entend une conversation.

—Je gardais le troupeau tout seul. Tout à coup j'ai vu comme un tourbillon qui arrivait sur moi. J'ai essayé de fuir, mais je n'ai pas pu. Alors j'ai sorti mon épée... dit une faible voix.

—Nous l'avons trouvé évanoui par terre. Il avait, à son côté, son épée couverte de sang, répond une autre voix. Nous l'avons ramassé et ramené au campement. Et il est

Cette nuit-là, Ifalan entend quelqu'un jouer de l'imzad. Protégé par l'obscurité, il se glisse jusqu'à la tente où une jeune fille joue. Caché derrière un

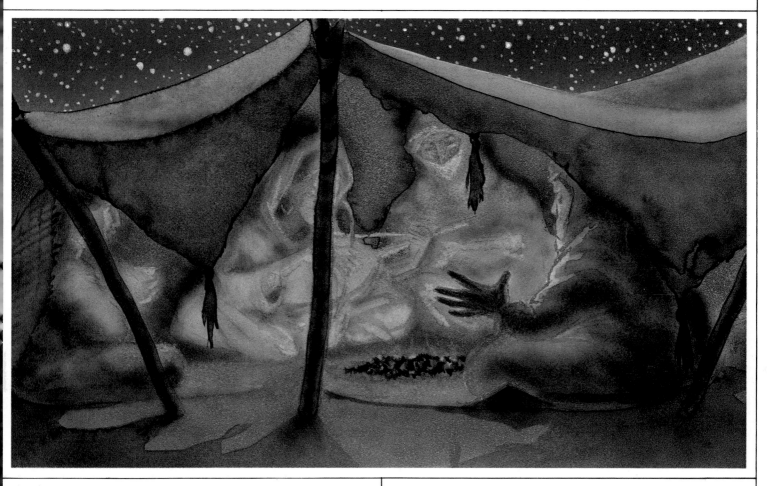

resté muet jusqu'à aujourd'hui ; le son de l'imzad l'a réveillé.

La première voix tremblante se fait à nouveau entendre :

—Il y avait trois hommes au milieu du tourbillon. Deux voulaient me tuer et le troisième, qui était noir, les en empêchait.

Il y a un silence, puis la voix poursuit :

—Le sang sur mon épée est celui des deux génies qui voulaient me tuer. J'en suis sûr ! Je les revois encore ! L'un n'avait qu'un œil, l'autre avait des dents immenses : et l'homme noir, mon protecteur, était si grand qu'il touchait le ciel...

Tous se taisent. On n'entend que le murmure du vent sur les tentes et le son mélancolique de l'imzad. Tous restent silencieux car ils ont reconnu les Kel Esuf.

Ifalan se jure de ne pas aller sur les lieux d'un campement, ni à l'ombre de l'arbre agar, ni sur les tombes, surtout la nuit. On dit que les Kel Esuf s'y promènent. Ifalan a du mal à s'endormir ce soir-là. Il entend les voix des mauvais génies.

Kanuri prépare sa tente

Tu prépares déjà la tente ? demandent les hommes à Kanuri.

—Oui, et nous avons presque terminé.

Kanuri est la grande sœur d'Ifalan. Elle

va se marier : Abalak, son fiancé vient souvent la voir. C'est un Kel-ui lui aussi et il connaît le métier de berger et la solitude. Il a dormi sur une natte à la belle étoile et il a traversé le désert plusieurs fois. Il a participé à des attaques avec courage et aux guerres contre d'autres tribus : c'est un vrai Touareg.

La famille et les amis ont donné à la mère d'Ifalan plus de soixante peaux, pour fabriquer la tente de sa fille. Tout ce qui est nécessaire à des jeunes gens qui se marient est prêt. Abalak lui, doit apporter trois chameaux et dix chèvres : le père de Kanuri a exigé beaucoup pour lui donner sa fille en mariage.

Quand ils se marieront, ils monteront la tente. Ils vivront un moment ensemble. Mais Abalak s'en ira souvent et sa femme restera au camp avec les siens. Et dans quelques mois naîtra peut-être un nouveau Touareg. Il grandira en écoutant la langue tamasheq.

Pendant la saison sèche, il ira vers le Sud et reviendra dans les montagnes d'Aïr au moment des pluies. Il boira l'eau rare et précieuse dans les outres de cuir. Il connaîtra les habitudes de son peuple et bientôt il apprendra à ne pas vivre toujours au même endroit. Comme les autres Touaregs, il devra parcourir, sans cesse, le désert du Sahara.

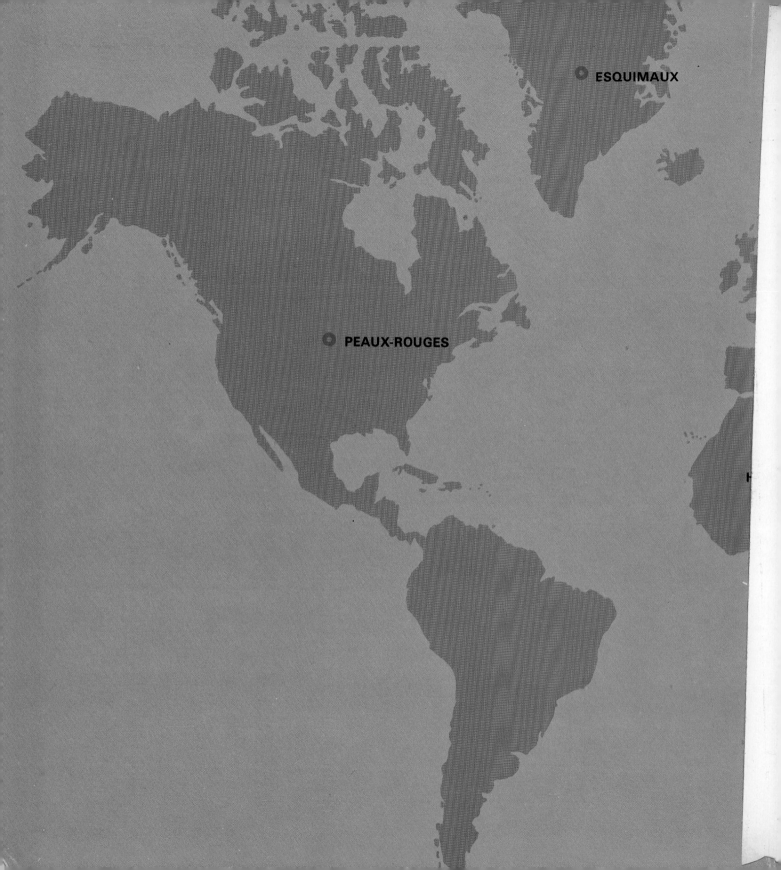